Manfred Mai · Detlef Kersten
Mama hat heut frei

Dieses Buch gehört:

Manfred Mai

Mama hat heut frei

Mit Bildern von Detlef Kersten

Otto Maier Ravensburg

CIP-Titelaufnahme der Deutschen Bibliothek

Mai, Manfred:
Mama hat heut frei / Manfred Mai. Mit Bildern
von Detlef Kersten. – Ravensburg: Maier, 1988
(Ravensburger blauer Rabe)
ISBN 3-473-34225-4
NE: Kersten, Detlef:

1 2 3 4 5   92 91 90 89 88

Ravensburger Blauer Rabe
© 1988 Ravensburger Buchverlag Otto Maier GmbH
Umschlagkonzeption: Rotraut Susanne Berner
Umschlagbild: Detlef Kersten
Gesamtherstellung: Mohndruck, Gütersloh
Printed in Germany
ISBN 3-473-34225-4

1.

Familie Schlagenhauf
sitzt am Frühstückstisch.
„Wo ist denn der Honig?" fragt Papa.
„Der ist alle", sagt Mama.
„So, alle", brummt Papa.
Dann guckt er wieder
in die Zeitung.

Beim Frühstück guckt er
immer in die Zeitung.
Anna rührt gähnend in ihrem Kakao.
Dann trinkt sie einen Schluck.
„Bäh", ruft sie, „der ist ja ganz kalt."
„Das kommt davon,
wenn man ewig umrührt",
sagt Mama.

„Hab ich ja gar nicht",
widerspricht Anna.
Papa schaut von der Zeitung auf.
„Kann man denn nicht *einmal*
in Ruhe frühstücken?"
„Laß den Kakao halt stehen
und iß dein Müsli",
sagt Mama.
„Müsli", meckert Anna,
„jeden Morgen Müsli.

Das kommt mir bald
aus den Ohren raus."
„Müsli ist gesund", sagt Mama.
„Und Papa und ich essen es auch."
„Von mir aus", sagt Anna.
„Ich will trotzdem lieber
ein Nutella-Brot!"
Mama seufzt.
„Jetzt laß sie doch essen,
was ihr schmeckt",
brummt Papa hinter seiner Zeitung.
„Essen muß ja nicht *nur* gesund sein."
„Genau", sagt Anna.
Dann steht sie auf
und geht zum Küchenschrank.
„Wo ist das Nutella?" fragt sie.
„Wenn ich mich recht erinnere",
sagt Mama,

„hast du dir gestern
den letzten Rest
aufs Brot geschmiert."
„Und warum hast du
kein neues gekauft?"
„Weil ich noch keine Zeit hatte,
darum!"
Papa legt die Zeitung weg.

„Keine Zeit?" fragt er.
„Das gibt's doch wohl nicht,
wenn man den ganzen Tag
zu Hause ist."
„So, das gibt es nicht?!" sagt Mama.
„Nein", sagt Papa.
„Nicht, wenn man sich
die Zeit richtig einteilt."

„Und du an meiner Stelle
würdest dir die Zeit
natürlich richtig einteilen",
sagt Mama.
„Worauf du dich verlassen kannst",
antwortet Papa.
„Gut", sagt Mama.

„Dann schlage ich vor,
du probierst das
gleich heute mal aus."
Sie steht auf.
„So, Herrschaften – ich hab heut
meinen freien Tag!"

2.

Anna und Papa sitzen
am Frühstückstisch.
Papa schreibt etwas
auf ein Blatt Papier.
„Alles nur eine Frage
der Organisation",
murmelt er vor sich hin.
„Was ist Organition?" fragt Anna.
„Organi*sa*tion", sagt Papa.
Er tippt mit dem Finger
auf das Blatt Papier.
„Aufschreiben, was wann zu tun ist.
Einen Plan machen.
Nichts dem Zufall überlassen.
Das ist Organisation."
„Aha", sagt Anna.

Papa tippt wieder
auf das Blatt Papier.
„Und das hier
gibt den Plan für heute.
Wenn der fertig ist,
kann nichts mehr schiefgehen."
„Aha", sagt Anna. „Und morgen
gibt's dann wieder
Nutella zum Frühstück?"
„Genau", sagt Papa.
„Und Honig?"
„Und Honig."
„Organition ist schon toll",
sagt Anna.
„Or-ga-ni-sa-tion", sagt Papa.
Dann schreibt er:
10.00 Uhr: Einkaufen (Nutella,
Honig, Brot, Schnitzel)

„Sieht aus wie mein Stundenplan",
sagt Anna.
Papa schmunzelt.
„Was hab ich doch
für eine kluge Tochter!
Übrigens, mußt du nicht
bald los in die Schule?"

„Doch", sagt Anna. „Aber vergiß nicht,
den Kindernachmittag aufzuschreiben."
„Kindernachmittag?"
„Ja, der ist heute nämlich bei uns.
Von halb drei bis fünf."
„Aha", sagt Papa
und schreibt es gleich
in seinen Plan:
14.30 Uhr bis 17.00 Uhr:
Kindernachmittag.
„Und wer kommt da alles?" fragt er.
„Melanie, Daniela, Wiebke und Axel",
sagt Anna. „Und Benni."
„Macht mit dir zusammen sechs",
sagt Papa.
„Stimmt."
„Und was macht ihr da?" fragt Papa.
„Na, spielen", sagt Anna.

„Ist doch klar.
Mama denkt sich immer Spiele aus,
das ist ganz, ganz toll!"

Anna hüpft im Kreis herum.
„Ich bin schon gespannt,
was du dir ausdenkst."
„Ich auch", sagt Papa.
Er schaut auf die Uhr.
„Himmel, gleich acht!
Ich muß noch im Büro anrufen,
daß ich heute nicht komme.
Und du mach voran,
sonst kommst du zu spät."
Anna hängt den Schulranzen um
und nimmt den Sportbeutel.
„Papa, in der letzten Stunde
ist Schwimmen.
Holst du mich vom Hallenbad ab?"
„Fährt denn kein Bus?" fragt Papa.
„Wenn Schwimmen ist,
holt mich Mama auch immer ab."

„Also gut", sagt Papa. „Wann?"
„Um halb zwölf."
11.30 Uhr: Anna abholen,
schreibt Papa in seinen Plan.
Anna gibt ihm einen Kuß auf die Backe.
Dann geht sie los.

Im Flur ruft sie noch:
„Tschüs, Mama!"
Papa liest in aller Ruhe
seine Zeitung zu Ende.
Dann räumt er den Frühstückstisch ab
und spült das Geschirr.
Zwischendurch streckt Mama
den Kopf zur Tür herein.
„Ich geh in die Stadt,
ein bißchen bummeln",
sagt sie.
Und Papa sagt:
„Dann viel Spaß!"

3.

Es ist gleich halb elf.
Seit zehn Uhr
müßte Papa beim Einkaufen sein.
Aber er sitzt immer noch
in der Küche.
Er repariert das Rührgerät.
Schon zweimal
hat er es auseinandergenommen
und wieder zusammengebaut.
Aber es rührt sich
einfach nicht mehr.
„Mist!" schimpft Papa.
„Dann gibt's eben
keine Zitronencreme!"
Er knallt den Schraubenzieher
auf den Tisch.

Vielleicht gibt's Zitronencreme
auch fertig im Supermarkt.
Er läßt alles stehen und liegen
und fährt los.
Zum Glück findet er gleich
einen Parkplatz.

Er schnappt sich
einen Einkaufswagen
und flitzt damit
so schnell durch die Gänge,
daß ihm die Leute nachschauen
und die Köpfe schütteln.
Aber das merkt Papa nicht.

Honig und Nutella
findet er schnell,
nur die Zitronencreme nicht.
Gibt es eben keinen Nachtisch!
Das süße Zeug ist sowieso
nicht gut für die Zähne.
Jetzt braucht er noch Schnitzel
fürs Mittagessen.
An der Fleisch- und Wursttheke
ist eine alte Dame vor ihm dran.
„Wissen Sie,
ich brauch ja nicht mehr viel",
erzählt sie der Verkäuferin.
„Ein bißchen Wurst
und hin und wieder
ein Stückchen Fleisch,
das reicht mir schon.
Wenn man erst mal siebzig ist..."

„Darf es sonst noch etwas sein?"
fragt die Verkäuferin.
„Ja, lassen Sie mich mal überlegen –
morgen kommt meine Schwiegertochter
mit meiner kleinen Enkelin zu Besuch,
was nehm ich denn da…?"
Papa trommelt mit den Fingern
auf die Lenkstange
seines Einkaufswagens.
Und er schaut schon zum fünften Mal
auf die Uhr.
„Gnädige Frau", sagt er schließlich,
„könnten Sie sich nicht *ein bißchen*
schneller entscheiden?
Wiener Würstchen zum Beispiel essen
alle Kinder gern."
Die alte Dame schaut Papa an
und zieht die Augenbrauen hoch.

„Junger Mann", sagt sie.
„Sie haben bestimmt
etwas Wichtiges zu erledigen,
weil Sie es so eilig haben.
Männer wie Sie haben scheinbar immer
etwas Wichtiges zu erledigen.

Ich frage mich nur,
warum Sie dann überhaupt –
ja gibt's denn so was!"
Die alte Dame
schüttelt verwundert den Kopf.
Papa ist schon weg.
Er ist einfach weitergegangen.
Gibt es eben keine Schnitzel!
Diese dauernde Fleischesserei
ist sowieso ungesund.
„Verstehen Sie das?"
fragt die alte Dame
die Verkäuferin.
Die zuckt nur mit den Achseln.
„Männer!"
Papa ist inzwischen schon
kurz vor der Kasse.
Da entdeckt er einen Riesenkorb

mit Berlinern im Sonderangebot:
10 Stück nur DM 2,48!
Papa kauft zwanzig.
Für den Kindernachmittag.
Jetzt noch bezahlen.
Und geschafft!
Als er im Auto sitzt,
ist es fünf Minuten nach halb zwölf.

4.

Anna steht ganz allein
vor dem Hallenbad.
Die anderen Kinder
sind alle schon weg.
Wütend kickt sie einen Stein
vom Gehweg.

Da kommt Papa endlich.
„Entschuldige", sagt er.
„Aber ich…"
„Mama kommt nie zu spät",
sagt Anna.
Papa gibt keine Antwort
und fährt los.
„Was gibt's zu essen?"
fragt Anna nach einer Weile.
„Eigentlich wollte ich Schnitzel
mit Nudeln und Erbsen machen",
brummt Papa.
„Und zum Nachtisch Zitronencreme."
Anna guckt ihn fragend an.
„Nun ja", sagt er.
„Es ist ein bißchen was
schiefgegangen."
„Schiefgegangen?"

„Erst hat das Rührgerät
nicht funktioniert,
dann hatten sie
keine fertige Zitronencreme,
und Schnitzel..."
Papa zögert.
„Schnitzel?"
„...hab ich auch keine bekommen."
„Dann gibt's also nur Nudeln!"
„Nein, Currywurst
mit Pommes frites."
„Au ja, toll!" sagt Anna.
„Für mich die Pommes mit Ketchup!"

5.

Mama liegt im Wohnzimmer
auf dem Sofa.
Sie hat Kopfhörer auf
und liest ein Buch.
„Mama, Mama, komm schnell!
Wir haben Currywurst
mit Pommes gekauft.
Wenn du nicht schnell kommst,
wird alles kalt."

„Was ist los?" fragt Mama
und nimmt die Kopfhörer ab.
„Kommt ihr?!" ruft Papa
aus der Küche.
„Ja!" ruft Anna zurück.
„Es gibt Currywurst mit Pommes",
sagt sie noch mal.
„Aha", sagt Mama.
Dann schaltet sie
den Plattenspieler aus.
Papa hat den Tisch
richtig schön gedeckt.
Mit gutem Geschirr und Servietten
und Weingläsern fürs Mineralwasser.
Mama kann sich ein Lächeln
nicht verkneifen.
Aber sie sagt nichts.
„Guten Appetit!" sagt Papa.

Die Pommes sind nur noch lauwarm
und schon ziemlich weich.
Aber das macht nichts,
findet Anna.
Lauwarme, weiche Pommes
sind ihr immer noch lieber
als gesundes Essen.
Denn dazu gibt's nie Ketchup.

6.

Mama liegt wieder auf dem Sofa.
Mit den Kopfhörern auf.
Anna macht Schulaufgaben,
und Papa bereitet
den Kindernachmittag vor.
Es ist gleich zwei.
Er hat schon den Eßtisch gedeckt,
Saft aus dem Keller
und noch zwei Stühle
aus der Küche geholt,
Kakao gekocht
und in die Thermoskanne gefüllt,
eine Girlande über den Tisch gehängt
und die Berliner
auf einen Teller gestapelt.
Jetzt steigt er auf den Dachboden

und sucht alte Kleider
für ein Verkleidungsspiel.
In einem großen Karton
findet er mehr als genug.
Sogar eine Perücke liegt drin.
Er klemmt sich die Sachen
unter den Arm
und steigt wieder hinunter.

Unten läßt er sich erschöpft
in einen Sessel plumpsen.
Es ist fünf Minuten vor halb drei.
Da läutet es an der Haustür.
„Ich mach auf!" ruft Anna.
„Das sind Wiebke und Axel.
Die kommen immer als erste."
Stimmt genau.
Es sind Wiebke und Axel.
Und gleich danach kommen
Melanie, Daniela und Benni.

„Seid ihr alle da?" fragt Papa,
als er mit dem Kakao
aus der Küche kommt.
„Wieso liegt denn deine Mama
auf dem Sofa?"
flüstert Melanie.
„Ist sie krank?"

„Nein, die hat heut frei",
flüstert Anna zurück.
„So, laßt es euch schmecken!"
sagt Papa.
Das braucht er nicht
zweimal sagen.

„Wetten, daß ich zwei auf einmal
essen kann?" sagt Benni.
Und dann macht er es vor.
„Pfat pfier pfemand Pfepfupftag?"
fragt er zwischendurch.
Papa schmunzelt.
„Nicht daß ich wüßte",
sagt er und schenkt allen
noch mal Kakao nach.
„Geschafft", sagt Benni.
„Ich hab gewonnen!"
„Wieso gewonnen?" fragt Melanie.
„Wir haben ja gar nicht gewettet."
„Weil ja jeder weiß,
wie verfressen du bist",
sagt Axel.
Das macht Benni gar nichts aus.
Er zuckt nur mit den Achseln.

Dann verschlingt er
noch zwei Berliner.
„So, das reicht", sagt er
und wischt seine Finger
am Tischtuch ab.
„Benni, du bist ein Ferkel!"
sagt Daniela.

„Stimmt genau", sagt Benni.
Dann rülpst er ganz laut und eklig.
„Um Himmels willen!" sagt Papa.
„Du mußt doch nicht spucken?"
Benni zieht die Schultern hoch.
„Kann schon sein."
„Geh lieber ein bißchen
an die frische Luft",
sagt Papa.
„Das wird dir gut tun."
Benni sieht wirklich
ein bißchen blaß aus.
Er steht auf
und schwankt zur Tür,
als würde er gleich
zusammenbrechen.
„Das passiert dem jedesmal",
sagt Wiebke.

„Bei meinem Geburtstag
war es genauso."
Benni hält sich am Türrahmen fest.
Und plötzlich tut er so,
als kämen ihm die Berliner
wirklich wieder hoch.

Da wird Papa auf einmal blaß.
Und Benni dreht sich um
und fängt furchtbar an zu lachen.
Ihm war gar nicht schlecht.
Er hat nur
einen schönen Spaß gemacht.

7.

„Alle mal herkommen!" ruft Papa.
„Wir spielen Blindekuh."
„Prima", sagt Axel.
„Langweilig", mault Benni.
„Gar nicht langweilig", sagt Wiebke.
„Bei meinem Geburtstag
haben wir das auch
gespielt."

„Dein ganzer Geburtstag
war langweilig", sagt Benni.
Da fängt Wiebke an zu weinen.
„Du Affe!"
schreit Axel Benni an.
„Na, na", sagt Papa.
„Wir wollen doch nicht streiten.
Wir stimmen einfach ab.
Wer ist für Blindekuh?
Eins, zwei, drei, vier, fünf.
Und wer ist dagegen?
Einer."
„Trotzdem langweilig", mault Benni.
Aber diesmal gibt ihm
niemand Antwort.
„Die Kleinste darf anfangen",
sagt Papa.
Die Kleinste ist Daniela.

Aber die will nicht anfangen.
„Im Dunkeln hab ich immer
ein bißchen Angst",
sagt sie leise.

„Dann fängt... Wiebke an",
sagt Papa.
Aber er will Melanie
das Tuch vor die Augen binden.
„Ich heiße Melanie", sagt Melanie,
„und ich will auch nicht anfangen."
„Du sollst die Kuh sein",
sagt Anna zu Papa.
„Au ja! Au ja!" rufen alle.
Sogar Benni ist einverstanden.
„Ich weiß nicht..."
„Bitte, bitte!"
„Also gut."
Papa muß sich bücken, und Anna
bindet ihm das Tuch vor die Augen.

Dann wird er dreimal
im Kreis gedreht,
und es geht los.

Vorsichtig greift Papa um sich.
„Wo seid ihr denn?"
„Hier! Hier! Hier! Hier! Hier! Hier!"

Ein „Hier!" kommt von unter dem Tisch.
Anna!
Das hat Papa genau gehört.
Ganz vorsichtig tappt er
auf den Tisch zu.
Da macht es hinter ihm „Piep".
Benni!
Den wird sich Papa gleich schnappen.
Er macht noch einen Schritt
auf den Tisch zu –
dann dreht er sich blitzschnell um.
Zack!
Aber Benni ist schon wieder weg.
Und Papa hat ein Glas
vom Tisch gewischt.
Zum Glück geht es
auf dem dicken Teppich nicht kaputt.
Aber es war noch halb voll.

„Auweia!" sagt Anna unter dem Tisch.
Das hat Papa genau gehört.
Die wird er sich gleich schnappen.
Zack!
Aber Anna ist schon wieder weg.
Und Papa hat sich den Kopf
an der Tischkante angebumst.

Und einen Stuhl umgeschmissen.
Und Axel.
Papa nimmt die Augenbinde ab
und hält sich den Kopf.
„Das gibt eine klasse Beule",
sagt Benni.
Jetzt mag Papa nicht mehr
Blindekuh spielen.
„Wißt ihr was", sagt er.
„Ich glaub, wir spielen lieber Verkleiden."
„Au ja", sagt Axel.
„Langweilig", mault Benni.
„Gar nicht langweilig, Blödmann",
sagt Wiebke.

Papa seufzt und guckt
zu Mama auf dem Sofa hinüber.
Aber die sieht aus,
als kriegte sie das alles
nicht mit.
Es muß ein spannendes Buch sein,
das sie da liest.

8.

„Gute Besserung!" sagt Benni,
als er sich von Papa verabschiedet.
„Ja, gute Besserung!" sagt Melanie.
„Danke", sagt Papa, „das ist nett."
„Mein Papa hat sich auch mal
so schlimm den Kopf angeschlagen",
sagt Wiebke.
„Und dann sind seine Kopfschmerzen
immer schlimmer geworden,
und es war Gehirnerschütterung."
„Soso", sagt Papa.
„Am schönsten war das Verkleiden",
sagt Daniela.
„Nö, Blindekuh",
widerspricht Axel.
„Nö, Verkleiden."

„Nö, Blindekuh."
„Blödmann!"
„Selber!"
„Schon gut, Kinder", sagt Papa.
„*Ich* fand den ganzen Nachmittag schön.
Vielleicht hätte nur der Ochse
keine Kuh spielen sollen."
Die Kinder kichern.
„Und wenn ihr jetzt nach Hause geht,
seid bitte vorsichtig!"
Das versprechen sie alle,
und dann sind sie weg.
„Puh!" stöhnt Papa
und tastet nach seiner Beule.
„Hast du jetzt geflunkert?" fragt Anna.
„Wann?"
„Wie du gesagt hast,
der ganze Nachmittag war schön."

„Nein", sagt Papa.
„Da hab ich nicht geflunkert."
„Und deine Kopfschmerzen?"
„Sind nicht mehr so schlimm."
„Aber vorhin waren sie schlimm?"
„Vorhin ja."
Da hat Papa nämlich
nicht mehr mitspielen können.
Wegen den Kopfschmerzen,
hat er gesagt.
Das hat aber nichts ausgemacht.
Zum Verkleiden braucht man
keinen Papa.

9.

Mama legt ihr Buch weg
und nimmt die Kopfhörer ab.
„Was, schon halb sieben!"
„Wie?" sagt Papa.
Er war ein bißchen eingenickt
in seinem Sessel.

Dabei hat er sich
vor dem Aufräumen
nur einen Augenblick
hinsetzen wollen.
„Zeit zum Abendessen",
sagt Anna.
„Und was gibt's?"
fragt Mama.
„Pizza", sagt Papa
„Pizza?"
„Ja, Pizza. Wir gehen zum Italiener."
„Toll", sagt Anna.
„Und ich krieg 'ne Cola dazu."
„Zum Italiener", sagt Mama nur.
Sonst sagt sie nichts.
Papa auch nicht.
Er und Mama gucken sich nur an.
Anna überlegt einen Augenblick,

ob sie Papa fragen soll,
ob der Italiener
auf seinem Plan steht.
Aber dann fragt sie
doch lieber
nicht.

Manfred Mai, geb. 1949 in Winterlingen, war Maler und Werkzeugschleifer, bevor er erst Lehrer und dann Schriftsteller wurde. Er lebt mit seiner Frau und zwei Töchtern in seinem Geburtsort, und manchmal schreibt er auch so, wie man dort spricht, nämlich schwäbisch.

Detlef Kersten, geb. 1948 in Berlin, studierte an der Hochschule der Künste in Berlin Grafik Design. Er lebt in einem Dorf bei Hannover. Er ist Chefredakteur des Schülermagazins „Treff" und verantwortlich für die Gestaltung der Zeitschrift „spielen + lernen". Für den Blauen Raben zeichnet er auch den berühmten Detektiv „Nick Nase".

Und wer wissen will, wie es war, als Papa einen Tag lang in die Schule ging und Anna einen Tag lang ins Büro, der kann das in diesem Buch nachlesen:

Manfred Mai
Nur für einen Tag
64 Seiten mit
32 s/w Abbildungen
von Detlef Kersten

ISBN 3-473-34221-1